Salutări din
România
with Love

Fotografii / Photos
Florin Andreescu

Text / Text
Dana Ciolcă

Traducere engleză / English translation
Alistair Ian Blyth

Grafică / Graphic design
Vali Craina

Redactor / Editor
Mariana Pascaru

Descriere CIP a Bibliotecii Naționale
Salutări din România with Love
foto: Florin Andreescu; text: Dana Ciolcă; trad. engleză:
Alistair Ian Blyth
București: AD LIBRI, 2011
ISBN 978-606-8050-33-1
913(498)(084)

Coperta I: Ieud, Maramureș
Coperta IV: Brașov
paginile 2-3: Satul maramureșan Breb
paginile 4-5: Strânsul fânului la Cincu
paginile 6-7: Prima brumă în Maramureș
paginile 8-9: Satul Moieciu, iarna
paginile 10-11: Apele Lacului Techirghiol

Cover I: Ieud, Maramureș
Cover IV: Brașov
pages 2-3: The village of Breb in Maramureș
pages 4-5: Bringing in the hay, Cincu
pages 6-7: Hoarfrost, Maramureș
pages 8-9: The village of Moieciu, winter
pages 10-11: The waters of Lake Techirghiol

Salutări din
România
with Love

Fotografii: Florin Andreescu
Text: Dana Ciolcă

Salutări din
România

Situată la granița estică a Uniunii Europene, a cărei membră a devenit în 2007, România reunește astăzi vechile provincii Țara Românească, Moldova și Transilvania, zone cu o evoluție istorică mai mult sau mai puțin comună, dar locuite în cea mai mare parte de români, singurii urmași ai romanilor (în afară de micul grup al romanșilor) care le-au păstrat numele. Aflate de-a lungul timpului la granița marilor imperii – Roman, Otoman, Habsburgic și Rus –, provinciile românești au avut parte de o mulțime de influențe etnice și modele culturale pe care le-au asimilat diferit, uneori cu fervoare, alteori cu reținere, construindu-și treptat fizionomii complexe, cu multiple nuanțe.

Această sinteză rezultată dintr-o bogată experiență a diversității și enormul patrimoniu natural de care dispune sunt principalele atuuri care fac din România o țară care trebuie vizitată.

Cu siguranță, punctul de pornire într-o vizită în România va fi un oraș, mai mare sau mai mic, dinamic și zgomotos sau dimpotrivă, încremenit, cu aer istoric, boem sau provincial. Ignorate de majoritatea turiștilor, orașele contribuie totuși la cunoașterea și înțelegerea acestei țări, iar unele dintre ele merită un statut mai bun decât cel de puncte de tranzit.

Bucureștiul este o aglomerare urbană în continuă schimbare. Haotică, agitată și derutantă, capitala României adună laolaltă zestrea fragmentară a unui târg balcanic prosper, proiectele urbanistice ale unor arhitecți ante- și interbelici care visau să facă aici „Micul Paris", „înfăptuirile" viziunii sumbre a lui Ceaușescu despre Bucureștiul comunist, dar și semnele unei economii capitaliste cu puternică amprentă locală.

Cu sau fără voia românilor, actualul Palat al Parlamentului, megalomanicul edificiu făcut de Ceaușescu în anii '80, a devenit principalul obiectiv turistic al Bucureștiului, punând în umbră celelalte atracții arhitectonice și culturale ale sale: Muzeul Satului, palatele neoclasice de secol XIX, bijuteriile stilului brâncovenesc etc. Câți dintre cei care vizitează Bucureștiul au răbdare și timp să intre în toate bisericile vechi și să descopere pe străzile din spatele Complexului Colțea casele în stil eclectic, cu prăvălii la parter, care reprezintă colțuri autentice din Bucureștiul perioadei Belle Époque. Câți se plimbă pe străzile din preajma fostei reședințe regale (Palatul Cotroceni) și în zona Parcurilor Herăstrău, Ioanid și Grădina Icoanei, ca să vadă frumoasele vile în stil neoromânesc, cu elemente structurale și decorative specifice arhitecturii vernaculare românești, otoman-balcanice, bizantine și chiar Renașterii italiene târzii. Este drept însă că uneori, în afara de răbdare și timp, vizitatorii Bucureștiului mai au nevoie și de imaginație ca să își poată închipui cum arătau în epoca lor de aur aceste clădiri.

Pasajul bucureștean Macca-Villacrosse,
construit în 1891 de Felix Xenopol

The Macca-Villacrosse Passage in Bucharest,
built in 1891 by Felix Xenopol

Situat la aproximativ 180 de kilometri de Bucureşti, la capătul unui lanţ de staţiuni montane foarte cunoscute, Braşovul are un potenţial turistic cel puţin la fel de mare ca cel al capitalei. Fortificaţiile, bine conservate, şi centrul medieval, închegat în jurul Bisericii Negre (XIV-XV) şi Pieţei Sfatului, amintesc timpurile în care aici se afla centrul meşteşugăresc şi comercial al saşilor (saxoni) din Transilvania.

Braşovul nu este însă singurul oraş cu arhitectură săsească din arcul carpatic. Coloniştii stabiliţi aici începând cu secolul al XII-lea au întemeiat încă şase burguri, printre care Sighişoara, una dintre puţinele cetăţi medievale din lume încă locuite, şi Sibiul, şi astăzi superb, cu zidurile şi turnurile sale, străzile înguste şi abrupte, bisericile gotice şi baroce şi casele istorice cu acoperişuri din solzi de ţiglă străpunse de lucarne lenticulare. Cluj-Napoca, întemeiat de saşi pe locul unei aşezări romane, nu se poate mândri cu o moştenire arhitectonică medievală la fel de consistentă ca celelalte burguri săseşti, dar este activ şi avid de cultură, înscriindu-se în topul centrelor universitare româneşti. Capitala de suflet a Transilvaniei rivalizează la capitolul viaţă studenţească cu Iaşiul. Capitala Moldovei timp de aproape trei sute de ani, Iaşiul are o istorie şi o vocaţie culturală extraordinară. Multe dintre edificiile vechi din centrul său au scăpat de bombardamentele din cel de-al Doilea Război Mondial, dar nu şi de ambiţiile comuniştilor de a schimba substanţial ţesătura oraşului. Au supravieţuit însă superbul Palat al Culturii în stil neogotic-flamboaiant, proiectat de arhitectul I. D Berindei, şi câteva edificii religioase din secolul al XVII-lea, precum Mănăstirea Sf. Trei Ierarhi şi Mănăstirea Golia.

Dacă puţine străzi din Iaşi mai amintesc de melanjul etnic ce caracteriza arhitectural şi cultural oraşele din Moldova secolelor trecute, în Galaţi şi mai ales în Brăila acestea sunt în număr mai mare, ascunse printre păduri de blocuri comuniste. Este nevoie însă de bani şi de interes ca să redobândească aspectul de altădată.

Mult mai modern şi mai cosmopolit decât cele două porturi dunărene este Constanţa, primul oraş atestat pe teritoriul României (secolul VI î.Hr.), care a profitat de poziţia sa centrală pe ţărmul Mării Negre şi a devenit cel mai important port al ţării şi polul turismului estival.

În timp ce oraşele din Transilvania, Moldova şi Dobrogea oferă tabloul unei sinteze etnice, cele mai importante oraşe din Muntenia şi Oltenia – Târgovişte, Craiova şi Târgu Jiu – au fost dintotdeauna locuite aproape exclusiv de români. Planurile de sistematizare din anii 1970 s-au dovedit un dezastru pentru specificul lor istoric, cartiere întregi au fost demolate în numele progresului şi ca să se şteargă amintirea epocii „perfide" a burgheziei, dar ici-colo au supravieţuit străzi cu locuinţe negustoreşti şi hanuri care atestă istoria lor de târguri situate la intersecţia principalelor drumuri comerciale care legau Orientul de Occident.

Începutul sau punctul final al aventurii urbane româneşti este Timişoara, occidental nu numai prin aşezare, ci şi prin mentalitatea locuitorilor săi care au fost capabili să depăşească diferenţele etnice şi religioase şi au luptat ca în 1989 acest oraş să fie primul din România liber de comunism. Arhitectura barocă, Secession şi modernistă, eclectismul cultural şi spiritul său viu demonstrează că România urbană poate fi mai mult decât cartiere cenuşii şi pieţe urâţite de contemporani indiferenţi sau cu spiritul estetic tocit de mercantilism.

Dacă prima imagine a României este oferită de oraşe, cea mai autentică şi mai originală este dată de sate. Situate la graniţa marilor imperii şi civilizaţii, provinciile româneşti au avut parte şi de un anumit grad de izolare care le-a permis să-şi menţină o perioadă lungă de timp structurile sociale tradiţionale şi o mentalitate fidelă valorilor autohtone străvechi. În ciuda industrializării şi urbanizării ţării, habitatul rural, anumite obiceiuri şi meşteşuguri arhaice, precum şi modul de viaţă patriarhal s-au păstrat în multe sate româneşti.

Una dintre cele mai dense şi mai autentice zone rurale este Oltenia, ţinutul cel mai românesc dintre toate. Prin satele de aici încă se mai respectă riturile legate de punerea pietrei de temelie şi se luptă să supravieţuiască vechi sărbători cu caracter agrar şi pastoral, cândva cu o puternică încărcătură magico-mistică. Aici se perpetuează de sute de ani meşteşuguri tradiţionale precum ceramica şi olăritul (Glagova, Vlădeşti, Ştefăneşti, Slătioara şi Horezu), ţesutul covoarelor (Osica), dulgheria, cioplitul şi sculptatul lemnului (Vaideeni, Polovragi). Îndemânarea oltenilor în modelarea lemnului este pusă în evidenţă de prispele, foişoarele, ancadramentele ferestrelor, porţile şi uşile caselor lor şi de micuţele biserici din lemn din secolele XVIII-XIX, care, alături de cele cu pictură exterioară şi în stil brâncovenesc, alcătuiesc un ansamblu extrem de valoros de arhitectură ecleziastică.

Sighişoara, cetatea medievală întemeiată de coloniştii saşi în 1191, păstrează strădute pietruite şi înguste şi ganguri boltite.

Sighişoara, a mediaeval citadel founded by Saxon colonists in 1191, preserves narrow, cobbled streets and vaulted passageways.

Dincolo de Carpați, ascunse în văile râurilor care izvorăsc din Munții Cindrel, sunt satele din regiunea etnografică Mărginimea Sibiului, vechi așezări reprezentative pentru civilizația pastorală românească. Deși arhitectura tradițională tinde să dispară, construcțiile moderne înlocuindu-le pe cele vechi, mărginenii se ocupă și azi cu păstoritul și prepararea brânzei, după rânduielile din bătrâni, și sunt încă atașați de obiceiurile lor și de portul popular alb-negru pe care îl îmbracă cu mândrie în zilele de sărbătoare.

Și mocanii din Țara Moților au rămas fideli tradițiilor și ocupațiilor lor. Satele acestora cu case vechi din bârne, cocoțate pe postamente din piatră și cu acoperișul țuguiat din șindrilă, sunt risipite în preajma bisericilor de lemn, la fel de frumoase în simplitatea lor ca cele din Maramureș. În aceste locuri în care meșteșugul dulgheriei s-a transmis din tată în fiu, lemnul prinde numeroase forme, de la șindrilă și vase la fluiere și tulnicele care astăzi mai sunt folosite doar pentru a chema în zori moții la Târgul de Fete de pe Muntele Găina.

Între dealurile și văile împădurite ale zonei de sud-est a Transilvaniei, cultura săsească a supraviețuit aproape neschimbată timp de opt secole până acum trei-patru decenii când majoritatea sașilor au plecat în Germania lăsându-și pustii casele lor mari, aliniate perfect de-a lungul străzilor care gravitează în jurul bisericilor întărite cu ziduri de apărare și turnuri. Din cele 300 de biserici fortificate care existau altădată în Transilvania astăzi mai sunt doar 150. Șapte dintre acestea (Biertan, Câlnic, Dârjiu, Prejmer, Saschiz, Valea Viilor și Viscri) au fost incluse în Patrimoniul Mondial UNESCO, dar de restul nu mai știe prea multă lume și dispar una câte una odată cu ultimii sași, uitați pe nedrept de cei cărora le-au dat un model extraordinar de viață și civilizație.

Relativa izolare în curbura nordică a Carpaților a făcut ca satele de pe văile Marei, Cosăului, Izei și Vișeului să capete o individualitate puternică pe care și-au conservat-o într-un mod surprinzător până astăzi. Viața în Maramureșul istoric mai ține cont de calendarul agrar și pastoral marcat de sărbători creștine și precreștine, datinile străvechi sunt respectate cu sfințenie și nu au fost uitate cântecele, dansurile, portul popular și mai ales meșteșugul cioplirii lemnului, pe care maramureșenii îl iau în serios indiferent dacă fac modeste obiecte casnice, porți monumentale sculptate migălos, case tradiționale din bârne sau biserici cu turle înalte și zvelte. Bisericile de lemn din Budești Josani, Desești, Bârsana, Poienile Izei, Ieud Deal, Șurdești, Plopiș și Rogoz se numără printre cele mai interesante monumente de arhitectură religioasă din lume, alături de cele din Bucovina (Arbore, Humor, Moldovița, Pătrăuți, Probota, Sfântul Gheorghe din Suceava și Voroneț), toate monumente UNESCO.

Meșteri în cioplirea lemnului au fost dintotdeauna și bucovinenii, după cum dovedesc casele lor cu pridvor deschis și bisericile din județul Suceava, făcute din bârne de brad sau stejar încheiate în coadă de rândunică. Deși satele din Bucovina sunt mai puțin conservatoare, în câteva se mai păstrează meșteșugul cioplirii lemnului, ca și cel al încondeierii ouălor de Paște (Ciocănești) și al modelării ceramicii negre (Marginea), ceea ce dovedește că nu numai izolarea le-a asigurat supraviețuirea, ci și credința oamenilor că nu sunt forme de primitivism, ci de artă pură.

În ultimele decenii febra modernizării a pătruns însă în multe sate aducând, din păcate, pe lângă facilități specifice vieții citadine și bulversarea sistemului de valori. Probabil, peste câteva generații, unele sate vor dispărea, altele vor căpăta un aspect tot mai pronunțat de așezări suburbane, și „la țară" va mai însemna doar satele turistice, cu o rusticitate întreținută artificial.

De sărbători, copiii bucovineni îmbracă cu bucurie portul popular.

The children of Bukowina are glad to dress up in folk costume.

La fel de valoroasă și de sensibilă la efectele modernizării ca România rurală este și România sălbatică, patrimoniul natural al acestei țări al cărei relief este dispus în amfiteatru concentric de la munte la mare.

Aproximativ 5% din suprafața țării are statut de arie naturală protejată și 2,43% din aceasta o reprezintă Rezervația Biosferei Delta Dunării. De mai bine de 16.000 de ani, al doilea fluviu ca mărime din Europa, Dunărea, formează la vărsare o deltă, un păienjeniș de brațe, canale, lacuri, ghioluri, grinduri, întinderi nesfârșite de stufăriș și păduri subtropicale (Letea și Caraorman) cu arbori seculari năpădiți de liane, cu dune de nisip și cai sălbatici. Toate acestea alcătuiesc un extraordinar muzeu al biodiversității care a fost înscris în lista Patrimoniului Mondial UNESCO.

Datorită varietății geologice și biologice, sub protecția UNESCO MAB (Man and the Biosphere) au intrat și Parcul Național Munții Rodnei, dominat de spinarea de piatră care șerpuiește între vârfurile Pietrosu și Ineu, și Retezatul, muntele unde natura a adunat laolaltă câte puțin din frumusețea celor mai neîmblânzite colțuri din Carpați. Primul parc național al României, Retezatul are un relief tipic glaciar, cu văi, lacuri, depozite și circuri glaciare, dar și chei, peșteri și avene care constituie habitate pentru 1.190 de specii de plante, dintre care 90 endemice, 185 de specii de păsări și 55 de specii de mamifere.

Dacă vreți să descoperiți România sălbatică nu ar trebui să vă opriți aici. Bucurați-vă de frumusețea Pietrei Craiului, un uriaș ferăstrău de calcar, și parcurgeți Drumul lui Deubel (La Lanțuri), cel mai dificil traseu montan marcat din țară. Munții acoperă aproximativ o treime din suprafața României și creează cele mai diverse și mai sălbatice peisaje ale ei: creste spectaculoase (Ceahlău, Făgăraș, Bucegi), văiugi și chei săpate între pereți verticali de calcar (Cheile Sohodolului, Cheile Nerei, Valea Cernei), alunecări de apă peste praguri lustruite de stâncă și peșteri de lungimi impresionante (Peștera Vântului, 50 km), formate în sare (Peștera Șase Iezi), care ascund ghețari (Scărișoara), picturi rupestre (Coliboaia, Gaura Chindiei II), muzee de mineralogie (Peștera din Valea Rea, Peștera Urșilor) sau ecosisteme unice în lume, cum este cel din Peștera Movile (lângă Mangalia), a cărui viață se bazează pe chemosinteză. Și după ce pofta de sălbăticie vi s-a deschis porniți în căutarea pădurilor virgine. Deși în multe locuri s-au făcut exploatări forestiere abuzive, România încă mai are cele mai întinse și mai bine conservate păduri virgine din Europa temperată, care, datorită stabilității îndelungate, adăpostesc numeroase specii de plante și animale rare. Cele mai multe se găsesc pe versanții munților, dar și în Subcarpați, în câmpie și chiar în Deltă. Merită să vă plimbați prin pădurile virgine de fag de la obârșia Nerei sau prin cele care cresc pe ruinele cetății dacice de la Grădiștea Muscelului, printre gorunii de la Runcu-Groși, prin codrii seculari de la Slătioara și Giumalău, șleaurile de la Comana sau să vă pierdeți prin mica junglă din Delta Dunării, Pădurea Letea. Și dacă tot ajungeți în Dobrogea, faceți traseul Culmea Pricopanului din Parcul Național Munții Măcinului, ca să vedeți peisajul de stepă al podișului dobrogean, și apoi mergeți să contemplați marea pe plaja încă pustie de la Vadu. Și după ce ați văzut toate acestea și veți încerca să definiți România veți înțelege, probabil, că orice definiție a ei este schematică, aproximativă, incompletă și, evident, subiectivă pentru că imaginea acestei țări este dinamică, se metamorfozează permanent în funcție de realități, de oameni și de locuri și nu poate fi înghesuită într-o definiție și nici cuprinsă într-o carte.

Atmosferă de toamnă…
Autumn atmosphere…

Romania
with Love

Situated at the easternmost edge of the European Union, of which it became a member in 2007, present-day Romania incorporates the old provinces of Wallachia, Moldavia and Transylvania, regions whose historical evolution has differed to a greater or lesser extent, but which are mainly inhabited by Romanians, the only descendents of the Romans (apart from the Romansh people) to have preserved the ethnonym. Having bordered over the centuries great empires – the Roman, Ottoman, Hapsburg and Russian – the Romanian provinces have been subject to a host of ethnic and cultural influences, which they have assimilated in different ways, sometimes with enthusiasm, sometimes with reserve, gradually constructing a complex, highly nuanced identity.

This synthesis of rich human diversity and enormous natural wealth is one of Romania's principal attractions, making it a must-see country.

The starting point for any visit to Romania will certainly be a city, be it large or small, dynamic and noisy or, contrariwise, frozen in time, with a bohemian or provincial atmosphere. Ignored by the majority of tourists, the cities nevertheless contribute to an understanding of Romania, and some of them ought to enjoy a better status than merely transit points for visitors.

Bucharest is a continuously changing urban conglomeration. Chaotic, bustling and even bewildering, the capital of Romania combines the fragmented heritage of an old, prosperous Balkan town, the planning projects of the pre-First World War and interwar architects who dreamed of turning it into a "Little Paris", the grim "achievements" of Ceauşescu's vision of a communist Bucharest, and the signs of a burgeoning market economy with a strongly local flavour.

Whether Romanians like it or not, what is now the Palace of Parliament, the megalomaniacal structure Ceauşescu ordered to be built in the 1980s, has become one of Bucharest's main tourist attractions, overshadowing other architectural and cultural places of interest, such as the Museum of the Village, the neo-classical palaces of the nineteenth century, the jewels of the Brâncoveanu style, etc. How many visitors to Bucharest have the time and patience to look inside every old church or to explore the streets behind the Colţea Complex, the eclectic houses with ground-floor shops, which are authentic corners of Belle Époque Bucharest? How many are prepared to stroll the streets around the Cotroceni Palace (a former royal residence) or around Herăstrău Park, Ioanid Park and the Icoanei Gardens, where they will see beautiful villas in the neo-Romanian style, which combine structural and decorative features specific to the Romanian vernacular, Ottoman-Balkan, Byzantine and even Italian late Renaissance architecture? It is true, however, that apart from time and patience visitors to Bucharest will also need imagination in order to appreciate what these buildings must have looked like in their heyday.

Dealuri vălurite în Sălciua, o aşezare veche de pe valea Arieşului

The rolling hills around Sălciua, an ancient settlement in the Arieş Valley

Situated approximately 180 km from Bucharest, at the end of a chain of famous mountain resorts, Braşov has a tourist potential at least as great as that of the capital. Its very well preserved fortifications and mediaeval town centre, which developed around the Black Church (fourteenth-fifteenth century) and Sfatului Square, are reminders of the times when this was the manufacturing and trading centre of the Transylvanian Saxons.

But Braşov is not the only city within the arc of the Carpathians to have preserved its Saxon architecture. The colonists who began to settle in Transylvania in the twelfth century founded another six fortified cities, including Sighişoara, one of the few mediaeval fortresses in the world that is still inhabited, and Sibiu, which is still resplendent today, with its mediaeval walls and towers, steep, narrow streets, gothic and baroque churches, and historic buildings, whose roof tiles are pierced by lens-like skylights.

Cluj, founded by the Saxons on the site of a Roman settlement, does not boast a mediaeval architectural heritage as consistent as that of the other Saxon burgs, but it is a lively centre of culture and one of Romania's top university cities. The spiritual heart of Transylvania is rivalled as a capital of student life by the city of Jassy. The capital of Moldavia for almost three hundred years, Jassy has had an extraordinary cultural history and vocation. Many of the buildings in the city's historic centre escaped the bombing in the Second World War, only to fall victim to the communists' ambitions to transform the urban fabric. The superb Palace of Culture, designed by architect I.D. Berindei in a flamboyant neo-Gothic style, has survived, however, as have the most important religious edifices, such as the seventeenth-century Three Hierarchs Monastery and Golia Monastery.

Whereas in Jassy few streets still recall the ethnic mix that culturally and architecturally characterised the cities of Moldavia in centuries past, in Galaţi and, in particular, in Brăila these can be found in greater numbers, tucked away among the forests of communist-era blocks. But it would take money and commitment for them to be restored to their former glory.

Much more modern and cosmopolitan than the two Danube ports is Constanţa, the oldest historically attested city (sixth century B.C.) on the soil of what is now Romania. Thanks to its central position on the Black Sea coast, Constanţa is the country's most important port and is a major centre for tourism in the summer season.

Whereas the cities of Transylvania, Moldavia and Dobrudja present a tapestry of ethnic influences, the major cities of Wallachia – Târgovişte, Craiova and Târgu Jiu – have always been inhabited almost exclusively by Romanians. The systematisation of the 1970s proved to be disastrous for their architectural heritage: whole districts were demolished in the name of progress and in order to erase the memory of the "perfidious" bourgeois period, but here and there streets with old merchant houses and inns have survived to bear witness to the history of these towns lying at the crossroads of the main trade routes linking East and West.

The departure point or terminus of any Romanian adventure is Timişoara, a western city thanks not only to its geographical location but also the outlook of its inhabitants, who have managed to overcome their ethnic and religious differences and who made this city the first in Romania to be liberated from communism in 1989. Its baroque, Secession and modernist architecture, cultural eclecticism and lively spirit demonstrate that urban Romania can be much more than merely grey concrete blocks and towns disfigured by indifference and mercantilism.

Although the first image of Romania is the one presented by its cities, its authentic and original image is to be found in the villages. Situated at the margins of great empires and civilisations, the Romanian provinces were always subject to a certain degree of isolation which allowed them to maintain for a long time their traditional social structures and a mentality faithful to ancient native values. In spite of industrialisation and urbanisation, the rural habitat, certain archaic customs and crafts, and a way of life untouched by modernity have been preserved in many Romanian villages.

Pasajul Şelari leagă strada Blănari de strada Lipscani, odinioară centrul vieţii comerciale bucureştene.

Şelari Passage, linking Blănari Street to Lipscani Street, formerly the commercial heart of Bucharest

One of the most authentic rural regions is Oltenia, the most Romanian of all the provinces. In the villages here, ancient rituals are still respected, such as those connected to laying the foundation stone of a house, and the old agrarian and pastoral festivals, once charged with magical meanings, still survive. Traditional crafts such as pottery (practised in Glagova, Vlădești, Ștefănești, Slătioara and Horezu), carpet weaving (Osica), and carpentry and woodcarving (Vaideeni, Polovragi) have been handed down here for hundreds of years. The Oltenians' skill in woodcarving is on display in the traditional porches, belvederes, window frames, doors and gates of the region's houses and in its eighteenth and nineteenth century wooden churches, which, with their Brâncoveanu-style exterior murals, are priceless monuments of ecclesiastical architecture. Beyond the Carpathians, hidden in the valleys of the rivers that rise in the Cindrel Mountains can be found the villages of the Mărginimea Sibiului ethnic region, ancient settlements that are representative of Romanian pastoral culture. Although the traditional architecture is beginning to disappear, with old buildings being replaced by modern structures, the inhabitants of these parts still make their living from sheep rearing and cheese making, according to age-old methods, and they are still attached to their ancestral customs and white and black folk costume, which they wear with pride on high days and holy days.

The shepherds of Moți Country have also remained loyal to their customs and traditional occupations. Their villages, consisting of old log houses, perched on stone foundations and with tapering shingle roofs, are scattered around the central point of wooden churches, which are just as beautiful in their simplicity as those in Maramureș. In this region, the craft of woodworking is passed on from father to son. Here, wood acquires numerous forms, from shingles and vessels to flutes and alpenhorns, which even today are used to call the Moți at dawn to the Maids' Market on Mount Găina.

Among the wooded hills and valleys of south-eastern Transylvania, Saxon culture survived almost unchanged for eight centuries, that is, until three or four decades ago, when the majority of the Saxons emigrated to Germany, abandoning their large houses, perfectly aligned along streets that surround a fortified church. Of the three hundred fortified churches that once existed in Transylvania only one hundred and fifty remain today. Seven of them (Biertan, Câlnic, Dârjiu, Prejmer, Saschiz, Valea Viilor and Viscri) are listed as UNESCO world heritage sites, but many are unknown except to very few people and are disappearing one by one as the last Saxons emigrate. These unjustly forgotten churches are the last vestiges of an extraordinary culture and way of life.

The relative isolation within the northern bend of the Carpathians caused the villages of the Mara, Cosău, Iza and Vișeu valleys to develop their own strong individuality, which is surprisingly well preserved even today. Life in historic Maramureș still takes account of the agrarian and pastoral calendar, and is marked by Christian and pre-Christian holidays. Ancient customs are piously respected here, and folk dances, songs, costume and, above all woodcarving have not been forgotten. The inhabitants of Maramureș take woodcarving very seriously, regardless of whether they be making everyday household objects or their meticulously carved monumental gates, traditional houses or slender-spired churches. The wooden churches at Budești, Josani, Desești, Bârsana, Poienile Izei, Ieud Deal, Șurdești, Plopiș and Rogoz are among the most interesting monuments of ecclesiastical architecture in the world, along with the painted monasteries of Bukowina (Arbore, Humor, Moldovița, Pătrăuți, Probota, and Voroneț, and the Church of St George in Suceava), all of which are UNESCO monuments. The inhabitants of Bukowina have always been master woodworkers, as is proven by their open-porch houses and the churches of Suceava County, made of fir or oak beams fitted together using dove-tail joints. Although the villages of Bukowina are less conservative than elsewhere, in a number of them the craft of woodcarving has been preserved, as has traditional Easter egg painting (in Ciocănești) and black ceramics (in Marginea), proving that it is not only isolation that has ensured their survival, but also the locals' belief that these are not primitive forms but genuine art in its own right.

Țărani strângând fânul în căpiță
Peasants building a haystack

In the last few decades, the fever to modernise has penetrated many villages, however, bringing with it, alas, not only the amenities of urban life but also a collapse in traditional values. In a few generations, some villages will probably disappear, while others will acquire an increasingly suburban look, and the countryside will then mean nothing but tourist villages with an artificially maintained rusticity.

Just as important and as sensitive to the effects of modernisation is wild Romania, the country's natural heritage, whose relief is arranged concentrically, like an amphitheatre, going from mountain to sea.

Around five per cent of the country's surface area is protected natural habitat, and 2.43% of this consists of the Danube Delta Natural Biosphere. For more than 16,000 years the second longest river in Europe, the Danube forms a delta where it empties into the Black Sea, a web of channels, lakes, marshes, sandbanks, endless expanses of reeds, subtropical forests (Letea and Caraorman) with ancient trees draped with lianas, and dunes over which roam herds of wild horses. The Delta is an extraordinary museum of biodiversity, which is listed as a UNESCO World Heritage site.

Thanks to its geological and biological variety, the Rodnei Mountains National Park, dominated by a spine of rock that snakes between the Pietrosu and Ineu summits, has come under the protection of UNESCO MAB (Man and the Biosphere), as has Retezat, a mountain that gathers together something of the beauty of all the wildest corners of the Carpathians. Romania's first national park, Retezat has a typical glacial relief, with valleys, lakes and cirques, as well as gorges, caves and swallow holes, which provide a habitat for 1,190 species of plants, of which 90 are endemic, 185 species of birds and 55 species of mammals.

If you are looking to discover wild Romania, you ought not to stop here. You can also enjoy the wild beauty of Piatra Craiului, a huge outcrop of limestone rock, and hike along the Deubel Trail, the most arduous mountain route in the country. Mountains cover approximately one third of the surface area of Romania and make up its most varied and wildest landscapes: spectacular crests (Ceahlău, Făgăraş, Bucegi), deep gorges running between sheer walls of limestone rock (the Sohodolului and Nerei gorges, the Cernei Valley), alpine cataracts and deep caves (the Vântului Cave stretches for 50km), salt caves (the Şase Iezi Cave), underground glaciers (Scărişoara), caves with prehistoric paintings (Coliboaia, Gaura Chindiei II), museums of mineralogy (the cave in Valea Rea, Urşilor Cave), and unique ecosystems such as that found in the Movile Cave (near Mangalia), whose life forms are based on chemosynthesis. Once you have developed a taste for wild landscapes, you can set out in search of Romania's virgin forests. Although many areas have suffered as a result of uncontrolled logging, Romania still has the most extensive and best preserved virgin forests in temperate Europe, which, thanks to their uninterrupted stability, are home to numerous rare plant and animal species. Most of these forests are found on the slopes of the mountains, but also in the Sub-Carpathians, in the plain, and even in the Danube Delta. It is well worth taking a walk through the virgin beech woods of the Nerei heights or those that have grown over the ruins of the Dacian forts of Grădiştea Muscelului. Likewise, not to be missed are the oak forests of Runcu-Groşi, the centuries-old forests of Slătioara and Giumalău, the deciduous woods of Comana, and the Letea Forest, a miniature jungle in the Danube Delta. If you are in Dobrudja, you should walk the Culmea Pricopanului trail in the Măcinului Mountains National Park to see the steppe landscapes of the region's plateau. The trail will then take you to the still pristine beach at Vadu, where you can contemplate the sea.

Having seen all these things, you will understand that any attempt to define Romania will necessarily be over-simple, approximate, incomplete and, of course, subjective, because the country's image is dynamic, continually adapting to new situations; that image can neither be crammed inside a single definition or exhausted by a single book.

Aşezarea Alma Vii, formată în jurul unei biserici fortificate din secolul al XVI-lea

Alma Vii settlement, consisting of a fortified church from the sixteenth century

Paginile următoare:
Sarmizegetusa Regia, capitala dacilor înainte de cucerirea lor de către romani, este inclusă în lista Patrimoniului Mondial UNESCO. Se află pe Dealul Grădiştei, în mijlocul Munţilor Orăştiei, la peste 1.200 m altitudine.

Following pages:
Sarmizegetusa Regia, the capital of the Dacians before the Roman conquest, is a UNESCO World Heritage Site. It lies on Grădiştei Hill, in the middle of the Orăştiei Mountains, at more than 1,200m above sea level.

Ruinele Cetăţii Histria, ridicată în secolul al VII-lea î.Hr.
pe malul Lacului Sinoe, în Dobrogea

The ruins of Histria Fortress, built in the seventh century B.C.
on the shore of Lake Sinoe, Dobrudja

Abația cisterciană (1202) din Cârța, unul dintre cele mai importante monumente ale goticului timpuriu din Transilvania

The Cistercian abbey at Cârța (1202) is one of the most important monuments of the early Gothic in all Transylvania.

Biserica din Densuș, ridicată în secolul al XIII-lea pe locul unui edificiu precreștin, folosindu-se pietrele de la *Ulpia Traiana Sarmizegetusa*

The church at Densuș, built in the thirteenth century on the site of a pre-Christian edifice from the fourth century, using stones from Ulpia Traiana Sarmizegetusa

Ruinele Cetății de Scaun a Sucevei (secolul XIV) – una
dintre cele mai puternice cetăți din Moldova medievală

*The ruins of the Throne Citadel of Suceava (fourteenth-century) – one
of the mightiest fortresses in mediaeval Moldavia*

Castelul Huniazilor sau Corvineștilor (secolul XIV)
din Hunedoara – cel mai important monument
transilvănean de arhitectură gotică laică

*The fourteenth-century Castle of the Huniazi or
Corvinești in Hunedoara is the most important monu-
ment of lay Gothic architecture in Transylvania.*

Turnul cu Ceas (secolele XIII-XIV) străjuiește de veacuri
intrarea principală în cetatea Sighișoarei.

*The Clock Tower (thirteenth-fourteenth century) has for centuries
guarded the main gate to Sighișoara.*

Cetatea Poenari (850 m altitudine), ridicată probabil
în secolul al XIV-lea de Radu I (Negru Vodă) și
refăcută în 1459 de Vlad Țepeș

Poienari Fort (850m), probably built in the fourteenth
century by Radu I (Negru Vodă) and rebuilt by Vlad the
Impaler in 1459

Castelul Bran, construit de sași în 1377, la 30 km de Brașov

Castle Bran, built by the Saxons in 1377, 30km from Brașov

Cetatea ţărănească Râşnov, ridicată în
secolele XIII-XIV

*The peasant fortress of Râşnov, built in
the thirteenth to fourteenth centuries*

Biserica Prejmer, construită în prima
jumătate a secolului al XIII-lea în
stil gotic timpuriu, de inspiraţie
cisterciană, şi modificată trei veacuri
mai târziu, când a fost şi fortificată

*The Cistercian-inspired early
gothic Prejmer Church, built in
the first half of the thirteenth
century, altered and fortified
three centuries later*

Mănăstirea Moldovița, monument UNESCO,
ctitorită de Petru Rareș în 1532

*Moldovița Monastery, now a UNESCO
monument, founded by Petru Rareș in 1532*

Biserica de lemn din Ieud Deal (secolul al XVII-lea), una dintre cele mai vechi din
Maramureș, este și ea în lista monumentelor Patrimoniului Mondial UNESCO.

*The wooden church of Ieud Deal (seventeenth-century), one of the oldest in
Maramureș, is a UNESCO World Heritage monument.*

Case risipite în Sălciua, Alba

Scattered houses in Sălciua, Alba

Ruptul sterpelor sau Sâmbra oilor este o veche sărbătoare pastorală la care se măsoară laptele de la oile fiecărei familii pentru a se stabili cantitatea de brânză care îi va reveni peste vară.

The separation of the barren ewes, or Sâmbra, is an ancient pastoral festival, at which the milk from the sheep of each family is measured in order to establish the quantity of cheese they will receive the next summer.

Testarea tăriei palincii, o băutură spirtoasă obținută din prune

Testing the strength of the palinka, a strong liquor made from prunes

Viaţa la stână, Maramureş

Life at the sheepfold, Maramureş

Prepararea brânzei cere timp şi îndemânare.

Cheese making requires time and skill.

Paginile următoare:
Viaţa la stână este pretutindeni la fel.

Following pages:
Life at the sheepfold is similar everywhere.

Pescarii ies în larg înainte să răsară soarele.

The fishermen set out to sea before dawn.

Captură bogată pe Lacul Babadag, al cărui nume înseamnă în turcă Muntele Tatălui

A rich catch on Lake Babadag, whose name means Father's Mountain in Turkish

Paginile următoare:
Ruinele Cetății Enisala (numită și Heracleea), făcută de genovezi în secolul al XIV-lea pe un deal calcaros de lângă Lacul Babadag

Following pages:
The ruins of the Enisala Fortress (also called Heraclea), built by the Genoese in the fourteenth century on a chalky hill by Lake Babadag

Biserica Evanghelică (Sibiu), un edificiu gotic din secolul al XIV-lea,
cu un turn de aproximativ 74 m

*The Evangelical Church (Sibiu), a gothic monument from the fourteenth
century, whose tower is seventy-four metres high*

Turnul Sfatului, situat între Piața Mare și Piața Mică, a făcut
parte din cea de-a doua centură de fortificații a Sibiului,
definitivată între 1224 și 1241.

*The Council Tower, situated between Large Square and
Small Square, has part of the second
ring of fortifications that were built around Sibiu
between 1224 and 1241.*

Veselie în Piața Mare din Sibiu

Having fun in the Large Square, Sibiu

În fiecare an, în prima duminică după Paște, are loc defilarea Junilor Brașovului. Cele șapte cete de juni (Tineri, Bătrâni, Dorobanți, Brașovechi, Curcani, Roșiori și Albiori), îmbrăcați în costume tradiționale, pornesc călare din fața bisericii Sf. Nicolae din Piața Unirii, din vechiul cartier româ- nesc al Scheilor Brașovului, îndreptându-se spre centrul istoric, apoi spre Pietrele lui Solomon, unde parada se termină cu o serbare câmpenească.

Every year, on the first Sunday after Easter, the parade of the Brașov Juni is held. Seven bands of Juni (Young Men, Old Men, Infantrymen, Brashovians, Turkeys, Reds and Whites), wearing traditional costume, set out on horseback from in front of the St Nicholas Church in Unirii Square, in the old Romanian quarter of Șcheii Brașovului, and head for the historic centre and then the Solomon Rocks, where the procession ends with a festive picnic.

Paginile următoare:
Casa Sfatului din Brașov, cu elemente gotice, renascentiste și baroce transilvănene, ce vădesc succesivele transformări pe care le-a suferit de-a lungul secolelor XIV-XVIII, adăpostește astăzi Muzeul Județean de Istorie și principalul centru de informare turistică al orașului.

Following pages:
The Council Building in Brașov, with Gothic, Renaissance and Transylvanian Baroque features, revealing the successive alterations it has undergone down the centuries, today houses the County History Museum and the city's main tourist information centre.

Biserica Adormirea Maicii Domnului, situată în Piața
Sfatului din Brașov

The Church of the Dormition of the Mother of God, in
Council Square in Brașov

Aleea După Ziduri, amenajată între pârâul Graft și linia
vechilor ziduri de pe latura nordică a cetății Brașovului

The Lane Behind de Walls, stretching between the Graft
Brook and the old walls on the north side of the city

Biserica Evanghelică Sf. Margareta (secolul al XV-lea)
și Turnul Steingasser (secolul al XVI-lea), mărturii ale
Mediașului medieval

*The fifteenth-century St Margaret's Evangelical
Church and the sixteenth-century Steingasser Tower,
vestiges of mediaeval Mediaș*

Paginile următoare:
Toată suflarea satului adunată în cimitir la slujba de
pomenire a morților, Ieud Șes

Following pages:
The whole village turns out to the cemetery to attend the
service to commemorate the dead, Ieud Șes

De Ziua Morților (Luminația), credincioșii aprind lumânări, dau de pomană și se roagă pentru sufletele celor dispăruți, despre care se crede că se întorc pentru o zi printre cei dragi.

On the Day of the Dead, the faithful light candles, give alms and pray for the souls of the departed, who are believed to return to visit their loved ones for a day.

Cuptor de ars oale la Corund

Potter's oven in Corund

Tinerii din Horezu învață meșteșugul olăritului.

Youngsters from Horezu learning the potter's craft.

Statuia Lupoaicei, instalată la capătul estic al străzii Lipscani, un monument dăruit
Bucureştiului de Municipalitatea Romei în anul 1906, cu ocazia celebrării a 25 de ani
de la încoronarea Regelui Carol I, ca rege al României, şi a 1800 de ani de
la cucerirea romană a Daciei

*The statue of the She-Wolf, at the eastern end of Lipscani Street, a monument donated
by the city of Rome in 1906 to mark the twenty-fifth jubilee of the coronation of King
Carol I of Romania and the 1,800th anniversary of the Roman conquest of Dacia*

Flaşnetar, în faţa unei cafenele cochete din Centrul Vechi

Organ grinder in front of a bijou café in the Old Quarter of Bucharest

Centrul Vechi al Bucureștiului, în căutarea înfățișării de odinioară
The Old Quarter of Bucharest, in search of past splendour

Clădiri vechi și noi pe malul Dâmboviței

Buildings old and new on the banks of the Dâmbovița

În Pasajul Macca-Villacrosse (1891), care face legătura între Calea Victoriei și strada Eugeniu Carada, se aflau odinioară sedii de bănci, redacții de ziare și magazine de lux.

The Macca-Villacrosse Passage (1891), linking Calea Victoriei and Eugeniu Carada Street, was formerly home to bank and newspaper offices and luxury shops.

Dâmbovița, un râu care străbate Bucureștiul de la nord-vest la sud-est, dar al cărui potențial nu a fost încă valorificat

The Dâmbovița, the river that traverses Bucharest from the North-West to the South-East, but whose potential has yet to be fully exploited

Arhitectură comunistă dintr-un cartier periferic bucureștean

Communist architecture in an outlying district of Bucharest

Piața Revoluției; în plan îndepărtat se văd: Biblioteca Centrală Universitară, Casa Păucescu (sediul Uniunii Arhitecților din România) și fostul sediu al Comitetului Central (azi Ministerul Administrației și Internelor).

Revolution Square; in the background can be seen the Central University Library, the Păucescu House (the headquarters of the Union of Romanian Architects) and the former Central Committee building (now the Ministry of Administration and the Interior).

Detalii arhitecturale
Architectural details

Paginile următoare:
Parcul Luigi Cazzavillan din București,
amenajat în stil italian în anul 2005, poartă
numele jurnalistului italian fondator al ziarului
bucureștean *Universul*.

Following pages:
Luigi Cazzavillan Park, laid out in the
Italian style in 2005, is named after
the Italian journalist who founded
Bucharest newspaper Universul.

83

Biserica Stavropoleos (1724) din Bucureşti, unul dintre cele mai frumoase şi
reprezentative monumente de artă târzie brâncovenească

*Stavropoleos Church (1724) in Bucharest, one of the most beautiful
examples of the late Brâncoveanu style*

Clădirea veche a Universității de Arhitectură și Urbanism „Ion Mincu", realizată
între 1912 și 1927, în stil neoromânesc, după proiectul lui Grigore Cerchez

*The old building of the "Ion Mincu" University of Architecture and Urbanism,
built between 1912 and 1927 and designed, in the Neo-Romanian Style,
by Grigore Cerchez*

Strada Șelari, trasată pe terenul fostei curți domnești din București, a păstrat multe clădiri de la sfârșitul secolului al XIX-lea, inclusiv o casă cu geamlâc.

Șelari Street, laid out on the site of a former princely court, preserves a number of late-nineteenth-century buildings, including a house with a geamlâc *(an upper-storey veranda enclosed by panes of glass).*

Palatul Băncii Naționale a României, construit între 1884 și 1890, după proiectul arhitecților Cassien Bernard și Albert Galeron

The Palace of the National Bank of Romania, built between 1884 and 1890 and designed by architects Cassien Bernard and Albert Galeron

Imobilele de pe strada Franceză, deși în stare avansată de degradare, ilustrează stilul eclectic francez, la modă în Bucureștiul secolului al XIX-lea.

The buildings on Franceză Street, although in an advanced state of disrepair, illustrate the French eclectic fashionable in the Bucharest of the nineteenth century.

Paginile următoare:
Giganticul Palat al Parlamentului, pentru construirea căruia Ceaușescu a distrus un vechi cartier bucureștean, găzduiește cele două camere ale Parlamentului, Centrul Internațional de Conferințe, Muzeul Național de Artă Contemporană și Muzeul Costumelor Populare.

Following pages:
The gigantic Palace of Parliament, to make way for which Ceaușescu razed an entire old district of Bucharest, is home to the two chambers of Parliament, an International Conference Centre, the National Museum of Contemporary Art, and the Museum of Romanian Folk Costume.

Un colţ din Parcul Carol din capitală, cu o atmosferă specială:
Fântâna Cantacuzino, construită în 1870 în stil neoclasic de
arhitecţii Alexandru Freiwald şi Karl Storck

A corner of Carol Park, with its own special atmosphere:
the Cantacuzino Fountain, built in 1870 in the neo-classical
style by arhitects Alexandru Freiwald and Karl Storck

Paginile următoare:
Fostul sediu al Comitetului Central al Partidului Comunist Român, din
balconul căruia Nicolae Ceaușescu a rostit ultimul discurs

Following pages:
*The former headquarters of the Central Committee of the Romanian
Communist Party, from whose balcony Ceaușescu gave his last speech*

Foaierul impresionant al Ateneului Român, o clădire neoclasică
construită între anii 1886 și 1888 de Albert Galleron, din banii strânși
în urma subscripției publice „Dați un leu pentru Ateneu"

*The magnificent foyer of the Romanian Athenaeum, a neo-classical
edifice built between 1886 and 1888 by Albert Galleron, using
money raised by public subscription, under the slogan "Give
a leu for the Ateneu"*

Parcul Cişmigiu, cel mai romantic loc de
promenadă din centrul capitalei

*Cişmigiu Park, the most romantic place for
promenades in the centre of the capital*

Buchiniştii din faţa Universităţii, Bucureşti

Second-hand booksellers in front of the University, Bucharest

Veselia copiilor este molipsitoare
Children's infectious joy

La țară sau la oraș, copilăria are
același farmec.

Whether in the town or the country,
childhood has the same charm.

Palatul Mogoşoaia (1702), la 15 km de Bucureşti, este una dintre cele mai frumoase ctitorii din timpul domniei lui Constantin Brâncoveanu (1688-1714).

Mogoşoaia Palace (1702), 15km from Bucharest, is one of the most beautiful buildings from the reign of St Constantine Brâncoveanu (1688-1714).

Paginile următoare:
Mănăstirea Pasărea (1846), situată la marginea
pădurii cu același nume de lângă București

Following pages:
Pasărea Monastery (1846), situated at the edge of
the forest with the same name, near Bucharest

Mănăstirea Țigănești (1812), de lângă București, unde funcționează din 1923
ateliere de broderie artistică și țesut covoare

*Țigănești Monastery (1812), near Bucharest, has been home to a tapestry and
carpet-weaving workshop since 1923*

Lacul Căldăruşani, un vechi liman fluvial presărat cu plauri, pe al
cărui mal nordic se află mănăstirea cu acelaşi nume, ctitorită de
Matei Basarab în 1638

*Căldăruşani, a reedy oxbow lake on whose northern shore stands
the monastery of the same name, founded by Matei Basarab
in 1638.*

Paginile următoare:
La marginea câmpurilor dobrogene au început
să-şi facă apariţia tot mai multe turbine eoliene.

*Following pages:
At the edge of the plains of Dobrudja wind turbines
have begun to make their appearance.*

Gospodar aşteptând să ia brânza de la stână
Peasant waiting to collect cheese from the sheepfold

Țapinar din Maramureş
Logger, Maramureş

Paginile următoare:
Pădureanca Nana Marea, Poieniţa Tomii

Following pages:
Forester Nana Marea, Poieniţa Tomii

Părinţii şi bunicii din multe sate duc dorul copiilor şi
nepoţilor plecaţi în lume să-şi facă un rost.

*The parents and grandparents from many villages miss
their children and grandchildren who have left
to make their way in the world.*

Moroşancă

*Old woman native
of Maramureş*

Fete din Maramureş aranjându-se pentru joc

Girls from Maramureş preparing to go to a traditional dance

În Maramureş, nunta are un ceremonial impresionant care implică aproape toată co-
munitatea satului. Este pregătită din timp şi durează trei zile, ca în basmele româneşti.

*In Maramureş, weddings are an impressive ceremony that brings together the whole
village community. The same as in Romanian fairytales, the wedding, prepared for
long in advance, lasts three days.*

Alaiul mirelui, în drum spre biserică
The groom's procession on the way to the church

Întâlnirea sașilor din Biertan, județul Sibiu
Gathering of Saxons in Biertan, Sibiu county

Paginile următoare:
Vedere spre Cheile Râmețului din satul Ponor

Following pages:
View of the Râmeț Gorges from the Ponor village

Balul Strugurilor la Micloșoara, județul Covasna
Grape harvest festival in Micloșoara, Covasna county

Vinerea Paștelui la Biserica din Izvoarele Sucevei, județul Suceava

Good Friday at the Izvoarele Sucevei Church, Suceava county

Lipovean din Sarichioi, Tulcea

Lipovian from Sarichioi, Tulcea

Slujba de Rusalii la lipovenii din Dobrogea

Lipovians celebrating Whitsun, Dobrudja

Vârsta jocului
The age for games

Paginile următoare:
Femeie din Măguri-Răcătău arându-și ogorul

Following pages:
Woman from Măguri-Răcătău ploughing her field

La fel ca odinioară, țăranii folosesc caii la muncile agri-
cole și la căratul lemnelor din pădure.

*The same as in olden days, the peasants use horses for
agricultural work and for hauling wood from the forest.*

Dogar din Pleșa, o localitate din județul Suceava,
unde trăiește o mică comunitate de polonezi

*Cooper from Pleșa, a village in Suceava, where
there is a small community of Poles*

Femeie spălând cergile la vâltoare

*Woman washing woollen rugs in
a traditional vâltoare*

Paginile următoare:
Început de toamnă la Podul Dâmboviței, Argeș

*Following pages:
Early autumn in Podul Dâmboviței, Argeș county*

Zi de târg la Dragomirești, Maramureș

Market day in Dragomirești, Maramureș

La fierar, Botiza, Maramureş

At the smithy, Botiza, Maramureş

Oameni de la țară, cu figurile asprite de vreme și de vremuri, privind cu sfială sau cu încredere spre aparatul de fotografiat

Country folk, with their weatherworn faces, looking shyly or trustfully into the camera

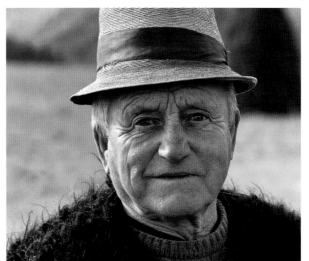

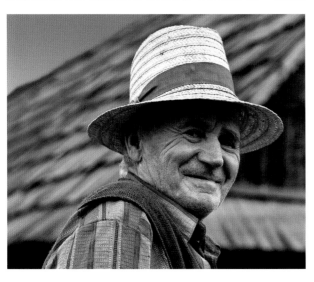

Obiceiuri agrare de primăvară din Maramureș: Tânjaua de pe Mara și
Udătoriul de la Șurdești

Spring customs in Maramureș: the Tânja *on Mara Mountain and the*
Udătoriu *at Șurdești*

Având 243.000 de hectare de vie, România este una dintre cele
mai mari țări vinicole din lume.

*With 243,000 hectares of vineyards, Romania is one of the
largest viticultural countries in the world.*

Paginile următoare:
Holde în Dobrogea

Following pages:
Wheat fields in Dobrudja

Cheile Dobrogei, care se întind între localitățile Târgușor și Cheia, la 45 km de Constanța, au statut de rezervație geologică protejată. Valea Miresei este străjuită de platouri calcaroase cu forme bizare – foste recife coraliere ale Mării Thetis, care au păstrat fosile precambriene. Într-o peșteră din apropiere, săpată în pereții de stâncă, a trăit Ioan Cassian, unul dintre Sfinții Părinți ai Bisericii.

The Dobrudja Gorges, which stretch between the settlements of Târgușor and Cheia, 45km from Constanța, are a protected geological reserve. The Miresei Valley is flanked by strangely shaped limestone plateaus, the antediluvian coral reefs of the Thetis Sea, where Precambrian fossils can be found. In a nearby cave, hewn from the rock face, dwelled St John Cassian, one of the Fathers of the Church.

Vedere aeriană asupra portului de agrement din Constanța (în prim-plan, Cazinoul)

Aerial view of the marina in Constanța (the Casino is in the foreground)

Stațiunea Mamaia (3 km de Constanța), situată pe cordonul litoral dintre Marea
Neagră și Lacul Siutghiol

Mamaia resort (3km from Constanța), situated on a coastal strip between the
Black Sea and Lake Siutghiol

Eforie Nord, a doua staţiune ca mărime de pe litoralul românesc
Eforie Nord, the second largest resort on the Romanian coast

Plimbare romantică pe malul mării
Romantic stroll along the seashore

Paginile următoare:
Plaja virgină de la Corbu

Following pages:
The pristine beach at Corbu

Printre cele 331 de specii de păsări care cuibăresc în Delta Dunării se numără și pelicanul creț (*Pelecanus crispus*), specie protejată.

*Among the 331 species of bird that nest in the Danube Delta can be found the crested pelican (*Pelecanus crispus*), a protected species.*

Lebede lângă Dunavăţ

Swans near Dunavăţ

Delta Dunării – paradisul păsărilor

The Danube Delta – a paradise for birds

Paginile următoare:
Dunele de nisip de la Letea, cea mai nordică pădure
subtropicală din lume

Following pages:
The sand dunes of Letea, the world's
northernmost sub-tropical forest

Moscheea Carol I (1910-1912) din Constanța

The Carol I Mosque (1910-1912) in Constanța

Mănăstirea Cocoș, din județul Tulcea, ridicată în
1832-1835 pe locul unui vechi schit de sihaștri

Cocoș Monastery, Tulcea, built between 1832 and
1835, on the site of an old hermitage

Vulcanii noroioși de la Berca, județul Buzău, una dintre cele mai interesante rezervații geologice și botanice din țară. Prin depunerea noroiului argilos scos din straturile adânci ale scoarței s-au format conuri care ating și 7-8 m înălțime.

The mud volcanoes of Berca, Buzău, one of the country's most interesting geological and botanical reserves. The clayey mud deposited from the depths of the earth's crust has formed cones that reach seven to eight metres in height.

Palatul Vulturul Negru (1907-1908) din Oradea este cea mai reprezentativă
clădire în stil Art Nouveau din Transilvania.

The Black Eagle Palace (1907-1908) in Oradea is the most remarkable
Art Nouveau building in Transylvania.

Teatrul Naţional din Cluj-Napoca

The National Theatre, Cluj-Napoca

Catedrala ortodoxă Adormirea Maicii Domnului din Cluj-Napoca,
construită între 1920 şi 1930

The Orthodox Cathedral of the Dormition of the Theotokos in Cluj-Napoca,
built between 1920 and 1930

Catedrala ortodoxă (secolul al XX-lea) și Catedrala romano-catolică (secolul al XIII-lea) din Alba Iulia. În acest oraș se află și cea mai reprezentativă fortificație bastionară de tip Vauban din țară, din secolul al XVIII-lea.

The twentieth-century Orthodox Cathedral and thirteenth-century Catholic Cathedral of Alba Iulia. In the same city can also be found Romania's most representative Vauban fortifications, dating from the eighteenth century.

Turnul Chindiei, construit în secolul al XV-lea de Vlad Țepeș, face parte din vechea curte domnească de la Târgoviște. Are înălțimea de 27 m și diametrul de 7 m.

The Chindiei Tower, built in the fifteenth century by Vlad the Impaler, is part of the princely court at Târgoviște. It is 27m in height and 7m in diameter.

Locul fostei Curți Domnești din Piatra-Neamț, din care s-au păstrat biserica Nașterea
Sf. Ioan Botezătorul (1497-1498) și Turnul lui Ștefan cel Mare (1499)

The site of the former Princely Court in Piatra-Neamț, of which the Church of the Nativity of
St John the Baptist (1497-1498) and the Tower of Stephen the Great have been preserved

Intrarea în Muzeul de Artă din Craiova, amenajat în
Palatul Jean Mihail, construit între 1898 și 1907 de
arhitectul Paul Gottereau

The entrance to the Art Museum, Craiova, housed in
the Jean Mihail Palace, built between 1898 and 1907
by architect Paul Gottereau

Paginile următoare:
În zonele de deal, căruța este un
mijloc de transport obișnuit.

Following pages:
In hilly regions, the cart is
a common means of transport.

În comunitățile pastorale, bărbații îngrijesc oile, iar femeile se
ocupă de gospodărie și de prelucrarea lânii

*In pastoral communities, the men tend to the sheep and the
women look after the farmyard and wool making*

Pregătirile pentru Paște s-au terminat (Izvoarele Sucevei)

The preparations for Easter are complete (Izvoarele Sucevei)

Atelier mecanic, la sat
Village mechanic

Paginile următoare:
Apus de soare la Sălciua, pe Valea Arieșului

Following pages:
Sunset in Sălciua, on the Arieșului Valley

Muncitori forestieri

Foresters

Biserica din Pătrăuţi, aflată la 12 km de Suceava,
a fost ctitorită în 1487 de Ştefan cel Mare.

*The church of Pătrăuţi, 12km from Suceava, was
founded in 1487 by St Stephen the Great.*

Fresca exterioară a Mănăstirii Pătrăuţi,
înfăţişând Judecata de Apoi, a fost realizată în
secolul al XV-lea.

*The exterior frescoes of Pătrăuţi Monastery,
depicting the Last Judgement, painted
in the fifteenth century.*

Biserica Mănăstirii Nămăieşti (stânga), atestată în 1386, şi Schitul Pahomie (dreapta), fondat în 1520, sunt
două dintre cele mai interesante biserici rupestre din România.

The church of Nămăieşti Monastery (left), attested since 1386, and Pahomie Hermitage (right), founded in
1520, are two of the most interesting rupestrian churches in Romania.

Bătrână aprinzând lumânări la mormântul celor dragi

Old woman lighting a candle at the grave of her dearly departed

În construirea bisericilor lor,
maramureşenii au atins culmea
meşteşugului lemnului

*In the construction of their churches, the
natives of Maramureş have attained the
pinnacle of the woodworker's craft*

Paginile următoare:
De Ziua Morţilor (Luminaţia), cimitirele se umplu de flori şi lumânări

*Following pages:
On the Day of the Dead, the cemeteries are filled with flowers and candles*

Odinioară cioplite în piatră, astăzi îmbrăcate în leduri, crucile sunt unul dintre cele mai prezente simboluri ale creștinismului

Hewn from stone and nowadays garbed in fairy lights, crosses are among the most widespread symbols of Christianity

Crucea Manafului (1846), un ansamblu straniu care are în mijloc o cruce de 4 m, situat lângă satul Greceanca, județul Buzău

The Cross of Manaf (1846), a curious monument with a four-metre cross in the middle, near the village of Greceanca, Buzău

Mănăstirea Brâncoveanu (1695) de la Sâmbăta de Jos poartă numele
ctitorului său, domnitorul Constantin Brâncoveanu.

*Brâncoveanu Monastery (1695) in Sâmbăta de Jos is named after
its founder, St Constantine Brâncoveanu Martyr*

Mănăstirea Râmeț (secolul al XIV-lea), una dintre cele mai
vechi mănăstiri ortodoxe din Transilvania

*Râmeț Monastery (fourteenth-century), one of the oldest
Orthodox monasteries in Transylvania*

Paginile următoare:
Lumină de toamnă pe dealurile hunedorene

*Following pages:
Autumn light on the hills of Hunedoara*

Lacul Roşu este un lac de baraj natural format la poalele Muntelui Hăşmaşu Mare, la altitudinea de 983 m. La suprafaţa apei încă se mai văd trunchiurile brazilor din pădurea inundată după ce bucăţi mari de pe coasta nord-vestică a Muntelui Ghilcoş s-au prăbuşit, închizând Valea Verescheului.

Roşu Lake is a natural reservoir which formed at the base of Hăşmaşu Mare Mountain, at an altitude of 983m. At the water's surface can still be seen the trunks of fir trees submerged after large chunks of the north-western slope of Ghilcoş Mountain collapsed, damming the Verescheu Valley.

Munţii Apuseni, în zona Poşaga; în plan îndepărtat, Rezervaţia Scăriţa-Belioara în care există exemplare seculare de pin, molid, larice şi plante rare precum săpunăriţa (*Saponaria bellidifolia*), liliacul ardelenesc (*Syringa josikea*) şi scorbul dacic (*Sorbus dacica*)

The Apuseni Mountains; in the background, the Scăriţa-Belioara Reserve, where there are centuries-old pines, spruce trees and larches, and rare plant species including Saponaria bellidifolia, Syringa josikea *and* Sorbus dacica

Piaţa Unirii din Timişoara, înconjurată de câteva monumente baroce impozante, are în mijloc Coloana Ciumei (stânga) sau a Sfintei Treimi, ridicată în 1740 pentru a marca încetarea epidemiei de ciumă din Banat.

In the middle of Unirii Square in Timişoara, which is flanked by a number of imposing baroque buildings, stands the Plague Column (left), also called the Holy Trinity Column, erected in 1740 to mark the end of an epidemic that struck the Banat.

Palatul Prefecturii din Târgu Mureş, un edificiu în stil Secession
ridicat între anii 1905 şi 1907

The Palace of the Prefecture in Târgu Mureş, a Secession-style
edifice built between 1905 and 1907

Halele Centrale, unul dintre simbolurile
Ploieştiului, au fost construite între anii 1929 şi
1935 după planurile arhitectului Toma T. Socolescu.

One of the symbols of Ploieşti, the Central
Covered Market was built between 1929 and 1935
and designed by architect Toma T. Socolescu

Palatul Culturii din Iași, construit în stil neogotic pe locul fostelor curți domnești între 1907 și 1926, după planurile
arhitectului I. D. Berindei, găzduiește un vast complex muzeal.

*The Palace of Culture, Jassy, built in the neo-gothic style on the site of the former princely court between 1907
and 1926 and designed by architect I. D. Berindei, houses a vast museum complex.*

Biserica Sf. Nicolae Domnesc din Iași, ctitorită
în 1491-1492 și refăcută în secolul al XIX-lea; în
prim-plan, statuia cărturarului Dosoftei,
mitropolit al Moldovei în secolul al XVII-lea.

*The Church of St Nicholas Domnesc in Jassy, built in
1491-92 and rebuilt in the nineteenth century; in the
foreground, the statue of bookman Dosoftei, Metro-
politan of Moldavia in the seventeenth century*

Paginile următoare:
Peisaj de iarnă de pe Valea Râșnoavei

*Following pages:
Winter landscape in the Râșnoavei Valley*

Castelul Peleș, reședința de vară a fostei familii regale a României, a fost construit în 1873-1914 în cocheta stațiune Sinaia, de la poalele Munților Bucegi. Este înconjurat de terase împodobite cu vase ornamentale, fântâni, și sculpturi executate de sculptorul italian Raffaello Romanelli.

Castle Peleș, the summer residence of the former Royal Family of Romania, was built between 1873 and 1914 in the charming alpine resort of Sinaia, at the foot of the Bucegi Mountains. It is surrounded by terraces decorated with ornamental vases, fountains, and sculptures by Italian sculptor Raffaello Romanelli.

Munţii acoperă aproximativ o treime din suprafaţa
României şi adăpostesc în văile lor numeroase
staţiuni turistice care sunt asaltate iarna de amatorii de
schi şi snowboarding.

*Mountains cover around one third of the surface area
of Romania and their valleys are home to numerous
resorts, which in winter are thronged with skiers and
snowboarders.*

Iarnă în Bucovina

Winter in Bukowina

În satele de munte, fânul se cară iarna cu sania trasă de cai.

*In mountain villages, the hay is transported by
horse-drawn sleigh in winter.*

Paginile următoare:
Case de vacanță la Pârâul Rece, Brașov

*Following pages:
Holiday homes, Pârâul Rece, Brașov*

Jocurile rituale tradiționale ale mascaților din Bucovina
marchează sărbătorile de iarnă. Cete de Urși, Capre, Căiuți,
Cerbi, Moșnegi, Babe, Urâți și Frumoși cutreieră ulițele,
urându-le sătenilor sănătate și roade bogate. Jocul Ursului,
considerat o rămășiță a unui cult traco-getic, făcea probabil
parte la origine dintr-un ritual de purificare și fertilizare a
solului.

*Ritual dances of masked winter revellers, Bukowina. Bands
of Bears, Goats, Centaurs, Stags, Old Men, Old Women,
Ugly Hags, and Handsome Swains roam the lanes, wishing
the villagers health and fruitfulness. It is likely that the Bear
Dance, thought to be a remnant of an ancient Thracian cult,
was originally a ritual for purification and fertilisation of
the land.*

Paginile următoare:
Defileul Dunării la Orșova; pe malul stâng se zărește
Mănăstirea Mraconia, reconstruită în 1995 pe locul celei
ctitorite în 1453.

Following pages:
*The Danube Gorges at Orșova; on the left bank can be
glimpsed Mraconia Monastery, rebuilt in 1995 on the site
of the one founded in 1453.*

Caiaciști la Orșova

Kayaking at Orșova

Capul lui Decebal, sculptat între 1994 și 2004 într-o stâncă uriașă din
defileul Dunării, în apropiere de Orșova și Porțile de Fier

*The head of Decebal, sculpted between 1994 and 2004 from a huge crag in
the Danube gorges, near Orșova and the Iron Gates*

Trăind izolați, țăranii din Munții Apuseni se bucură să vorbească cu rarii
vizitatori care le trec pragul.

Living in isolation, the peasants of the Apuseni Mountains are happy to talk
to the rare visitors that cross their threshold

Paginile următoare:
Stânca Babacai, din dreptul localității Coronini
(fostă Pescari), în defileul Dunării

Following pages:
Babacai Rock, by the village of Coronini
(formerly Pescari), in the Danube gorge

Floră din România
Romanian flora

Tăierea lemnelor pentru iarnă

Chopping wood for winter

Moară din Jina
Mill in Jina

Paginile următoare:
Morile din Parcul mulinologic Rudăria (Eftimie Murgu), Caraș-Severin, sunt folosite și astăzi de săteni în sistem asociativ.

Following pages:
The mills of the Rudăria Park (Eftimie Murgu), Caraș-Severin, are used even today by the villagers.

Rezervația geologică de la Valea Mică (1 ha), în Munții
Metaliferi, cuprinzând două blocuri calcaroase cu înălțimea
de 30 și 16 m

*The Valea Mică geological reserve (1 hectare), in the Metaliferi
Mountains, including two limestone blocks 30 and 16 metres
in height*

Meri înfloriți, într-o livadă din Voinești (Dâmbovița). Localitatea, cunoscută pentru soiul Frumosul de Voinești, găzduiește în fiecare an, după culegerea fructelor, Festivalul Mărului.

Flowering apple trees in an orchard in Voinești (Dâmbovița). Known for its Frumosul de Voinești *variety, every year the village hosts an Apple Festival after the harvest.*

Paginile următoare:
Breb, un sat maramureșean tradițional, se întinde la poalele nord-estice ale Munților Gutâi.

Following pages:
Breb, a traditional Maramureș village, stretches over the north-eastern foothills of the Gutâi Mountains

Salutări din România, cu drag
From Romania, with Love
Florin Andreescu